Et si on appelait un chat un chat ?

DU MÊME AUTEUR :

La Théière de Chardin, Garnier, 1979.
L'Album du BCBG, AMP, 1985.
Le Guide du futur directeur général, Hermé, 1986.
Sky my husband ! Ciel mon mari !, Seuil, "Points Actuels", 1987.
Sky my teacher !, Carrère, 1987.
Suites et Fins, Carrère, 1988.
Heaume sweet home, Harraps, 1989.
Édouard, ça m'interpelle, Belfond, 1990.
Sky my wife ! Ciel ma femme !, Seuil, "Ponits Actuels", 1991.
L'Agenda du Jet Set, Le Cherche-Midi, 1991.
Un si gentil petit garçon, Payot, 1992.
Le Dictionnaire des mots qui n'existent pas, Presses de la Cité, 1992.
Sky my kids ! Ciel mes enfants !, Payot, 1993.
Sky Mr Allgood !, Mille et une nuits, 1994.
Y a-t-il une courgette dans l'attaché-case ?, Belfond, 1994.
Élysée cours élémentaire 1re année, Lattès, 1995.
L'Anglais saugrenu, Payot, 1996.
L'Agenda du very important prisonnier, L'Archipel, 1996.
J'apprends l'anglais avec la Reine, Payot, 1997.
La Femme du train, Anne Carrière, 1998.
Rien à foot, Mille et une nuits, 1994.
Sky my husband II ! The Return, Hermé, 1998.

DU MÊME AUTEUR, CHEZ LE MÊME ÉDITEUR :

Le Cafard laqué, les mots-portemanteaux.
Ad aeroportum ! À l'aéroport !, le latin d'aujourd'hui.

Jean-Loup Chiflet

Et si on appelait un chat un chat ?

Le correctement incorrect

*Écrit et réalisé avec la complicité
de Noëlle Audejean*

Mots & Cie

Sommaire

Introduction

A u début était le « politiquement correct ». Cette moralisation du langage, introduite aux États-Unis dans les années soixante par des universitaires et des partis de gauche, avait un principe louable, celui de défendre minorités et opprimés, en rectifiant les préjugés de langage et de culture de l'homme blanc. Les Afro-Américains (ex-Noirs), puis les américains de souche (ex-Indiens) en furent les premiers bénéficiaires, vinrent ensuite les femmes (à l'initiative des féministes), d'autres groupes ethniques, et enfin, les handicapés, et les homosexuels...

Le phénomène prit une ampleur inattendue, et sous la pression de l'opinion publique, les écoles, les universités et les entreprises suivirent le mouvement. Le vocabulaire de chacun fut passé à la moulinette et les administrations se mirent à établir fébrilement les listes des mots officiellement « corrects ».

Si en France l'expression « politiquement correct » nous est presque aussi familière, puisque nombre de discours officiels s'en font l'écho, elle semble de plus en plus floue, jusqu'à désigner une nouvelle façon de parler propre à l'air du temps. C'est pourquoi nous avons, dans la première partie de ce livre, dressé une liste non exhaustive de ces nouveaux mots ou de ceux qui ont pris un sens nouveau, infiltrant peu à peu les textes officiels, et de ce fait même, notre langue au quotidien.

Pour être honnête, on doit constater que le « politiquement correct » a aussi contribué de ce côté de l'Atlantique à faire avancer le progrès social, et que grâce à lui on ne dit plus

« fille-mère », mais « mère célibataire », et que le mot « nègre » qui évoque la cruauté de l'histoire a disparu, pour se transformer en « Noir ».

En France, nous avons un autre problème, celui de nommer ce qui n'a pas encore de nom. Que choisir pour « E-mail » ? Faut-il conserver le mot anglo-saxon, ou opter pour le « mèl » ou, pourquoi pas, le « courriel » ? Faut-il choisir des mots « corrects » pour ne pas choquer ou créer des néologismes, tel Pierre Merle qui se voudrait « épistolophile » parce qu'il aime écrire des lettres ? Ou même faire glisser le sens des mots à l'instar de Jacques Prévert, pour qui « se gondoler » voulait dire « se promener en gondole » ?

Et si le « politiquement correct » était en train de devenir un mode d'expression non plus individuel, mais collectif qui nous mènerait progressivement à être « correctement incorrects » ? Que dire de ces mots qui ne cessent de s'allonger au détriment de la concision de la langue et de la pensée, quand « méthode » devient « méthodologie », ou quand « opérer » engendre « opérationnel », puis « opérationnaliser » ?

On peut sans doute parler de pédantisme ou d' « effet de mode », mais il y a également le besoin d'utiliser le jargon d'un milieu auquel on voudrait s'identifier. Et le « correct » de devenir alors signe de reconnaissance. Pour étayer notre propos, nous nous sommes amusés à répertorier dans la seconde partie de ce livre quelques modes d'expression propres à certaines professions, en forçant un peu le trait ; vous verrez, ce n'est pas triste, mais néanmoins édifiant.

Que penser enfin des métiers que l'on croit requalifier ? On ne dit plus une caissière mais une « hôtesse de caisse ». Cette fonction est-elle si méprisable qu'il faille la débaptiser ? Et si tel était le cas, ne faudrait-il pas songer d'abord à réhabiliter cette activité, plutôt que de se contenter d'en changer l'appellation ? « Parler au neutre, c'est masquer de fait les problèmes, et le social use du neutre universel pour cacher l'inégalité », écrit justement la philosophe Geneviève Fraisse. Nous n'en donnerons pour nouvelle preuve que cette vogue furieuse des sigles qui inspirent le respect et nous tiennent à distance non contagieuse de ce qu'ils suggèrent : « SDF », « RMistes », et autre « HIV ».

Il s'agit bien du même processus que nous retrouvons dans le mot « décrutement » par exemple, où par une simple pirouette de préfixe, on exprime le contraire de « recrutement », plutôt que d'appeler un chat un chat et de dire « licenciement », plus évocateur de la triste réalité. Ainsi les pauvres paraissent moins pauvres sous le label « économiquement marginalisés », et le poids de la crise est discrètement déplacé du politique vers le social, un chômeur n'étant plus celui auquel on a enlevé son emploi, mais celui qui demande du travail. Tout cela est-il bien correct ?

Et puis à neutraliser ainsi le langage, ne va-t-on pas en éradiquer tout ce qui en fait le sel ou l'odeur, celle des alpages par exemple, si les moutons ne sont plus gardés par des bergers, mais par des « chefs d'exploitation d'élevage de bétail sur sol » ? Et comment fantasmer sur une hôtesse avec laquelle on rêvait de s'envoyer en l'air, si elle se transforme en « personnel navigant commercial de l'aviation commerciale » ?

Cet historique du politiquement correct ne serait pas complet si nous ne rendions pas hommage au visionnaire exceptionnel qu'était George Orwell. Il avait en effet pressenti dans les années quarante, à l'époque où il publia son fameux *1984*, la dictature d'un nouveau langage, le « Novlangue », édicté par Big Brother et dont les correspondances avec le « correct » sont troublantes : « Le vocabulaire consistait entièrement en termes scientifiques et techniques. Ces termes ressemblaient aux termes scientifiques en usage aujourd'hui et étaient formés avec les mêmes racines. Mais on prenait soin, comme d'habitude, de les définir avec précision et de les débarrasser des significations indésirables. » Étonnant, non ? Ainsi Orwell avait déjà subodoré les pièges d'une illusion qui consisterait à relooker à coups de sémantique tout ce qui nous fait peur, en nous libérant des malaises de la civilisation.

Plus légère et plus farfelue, une autre illusion de purification de notre langue consiste à bouter hors de France les mots anglo-saxons. Chassez le naturel, il revient au galop : Web, Internet, merchandising... La loi Toubon a, en 1994, voulu transformer le « lifting » en « remodelage », la « nursery » en « nourricerie », et le « ferry », en « navire transbordeur ». Était-ce bien « correct » et en adéquation avec notre temps, cher Mister Allgood, de tenter, au moment où l'Europe se réveillait, d'emprisonner notre langue ? Une langue dite « vivante » est, comme son nom l'indique, une langue qui bouge et qui doit se nourrir d'apports extérieurs pour ne pas mourir. D'éminents linguistes et gens de lettres qu'on ne peut soupçonner d'être vendus à l'ennemi avaient d'ailleurs écrit à l'époque : « Ce n'est pas " week-end " qui est dommageable à la langue, ni " tramway ", mais c'est " solutionner " qui est calamiteux ", (Jean Favier). Quant au reste des Français, ils ne s'y sont pas trompés, puisque cinq ans plus tard, ils continuent à tirer des « corners » et non des « jets de coin » et à démarrer en « pole position » plutôt qu'en « position de pointe ». Nous avons d'ailleurs, dans la deuxième partie de cet ouvrage, poussé le bouchon un peu plus loin, en imaginant comment un prochain ministre de la Culture pourrait continuer ce jeu de massacre. Goodbye le « banana-split », bonjour la « banane fendue » !

Trêve de plaisanteries ! Car il y a d'autres dérives du « correct » qui peuvent être si incorrectes qu'elles donnent froid dans le dos. Que dire de cette perversion qui consiste à dévoyer le « politiquement correct » pour y insinuer les insultes les plus primaires ? Comme ce dirigeant d'extrême droite qui énonce clairement qu'il ne faut plus « rejeter les bougnoules à la mer », mais que pour coller au « correct », « il faut organiser le retour chez eux des immigrés du tiers-monde » ?

Pour finir sur une note plus optimiste, ne devrions-nous pas repartir à la recherche du « correct » de notre enfance quand nos mères-grand nous reprenaient à coups de : « Tu ne pourrais pas parler correctement ? » Elles avaient raison ! Et nous ne dirons plus, c'est juré, qu' « elles nous couraient sur le haricot », mais plutôt « sur la légumineuse papilionacée ».

Comme il est bon de rire un peu avant qu'il ne soit trop tard, et de nous en remettre le moment venu à notre Sainte Mère l'Église, qui, question « correct » sait de quoi elle parle ! Car, quand nous serons morts « d'une longue et cruelle maladie », elle n'aura aucun scrupule à prétendre « in memoriam » que

« nous nous sommes endormis dans la paix du Seigneur »...

Jean-Loup Chiflet

PREMIÈRE PARTIE

Liste non exhaustive

de termes

« politiquement corrects »

répertoriés

dans les journaux,

magazines et textes officiels

Abstrait	*Non figuratif*
Accusé	*Mis en cause*
Acné	*Peau à problèmes*
Adaptation professionnelle	*Aires de mobilité*
Agencer des images	*Concevoir des visuels*
Agent de police	*Agent / e de la sécurité et de l'ordre public*
Agent de voyage	*Technicien / ne de vente du tourisme et du transport*
Agent des pompes funèbres	*Employé / e technique des services funéraires*
Agent immobilier	*Transacteur / trice en immobilier*
Aide ménagère	*Intervenant / e à domicile*

Aiguilleur	*Agent de manœuvre en réseau ferré*
Airbag	*Sac gonflable*
Alcoolique	*Personne à sobriété différée*
Allocation chômage minimum	*RMI (revenu minimum d'insertion)*
Amant ou maîtresse	*Partenaire*
Ambulancier	*Conducteur de transports hospitaliers de particuliers*
Analphabète	*Illettré*
Analyse	*Décryptage*
Animal domestique	*Animal de compagnie*
Animateur	*Agent d'ambiance*
Aquaplaning	*Aquaplanage*

Arabe du coin	*Commerce de proximité*
Architecture de la ville	*Paysage urbain*
Arrêt d'autobus	*Abribus*
Arrêter (police)	*Appréhender*
Art primitif	*Art premier*
Artistes au chômage	*Intermittents du spectacle*
Asile de vieillards	*Résidence gérontologique*
Assistant de langue étrangère	*Locuteur natif*
Assistant social	*Travailleur / se social*
Assurance maladie pour les pauvres	*Couverture maladie universelle*
Au finish	*Au finir*

Augmentation d'impôt	*Élargissement du taux de base*
Avenants (ajouter des... en cours de contrat pour en prolonger la durée)	*Contrat glissant*
Aveugle	*Non-voyant*
Avion militaire (perte d'un)	*Problème dû à la défaillance du système de maintenance militaire au sol*
Avortement	*IVG*
Baby-sitter	*Emploi familial auprès des enfants*
Bagagiste (gare)	*Agent/e de manipulation et de déplacement des charges*
(hôtel)	*Employé/e du hall*

Balayeur	*Agent de propreté*
Ballon	*Référentiel bondissant (cf. manuel pédagogique des professeurs de gymnastique)*
Bande-annonce	*Autopromotion*
Banlieue	*Périphérie*
Barman/maid	*Commis de bar*
Bavure (police)	*Dysfonctionnement*
Berger	*Chef d'exploitation d'élevage de bétail sur sol*
Bibliothèque	*Médiathèque*
Black-out	*Occultation*
Blanchisseur	*Opérateur / trice d'entretien artisanal des textiles*

Blockhaus	*Fortin*
Bombardement	*Frappe aérienne*
Bonne à tout faire	*Employé(e) fami-lial(e) polyvalent(e)*
Boucher	*Préparateur en produits carnés*
Boulanger	*Employé en terminal de cuisson*
Boulot (petit)	*Métier de proximité*
Bourreau	*Exécuteur des hautes œuvres*
Brainstorming	*Remue-méninges*
Brassage des populations	*Intercommunalité*
Brasseur de bière	*Opérateur / trice de fermentation artisanale*
Break	*Brèche*

Bruiteur	*Professionnel / e du son*
Brutalités policières	*Excès physiques non appropriés*
Bûcheron	*Sylviculteur / trice*
Bulldozer	*Bouteur*
Cachot	*Quartier de haute surveillance*
Caddy ou caddie	*Cadet*
Chaotique	*Organisé de façon non rationnelle*
Caissier	*Responsable de caisse*
Caissière	*Hôtesse de caisse*
Cambriolage (petit)	*Délinquance de proximité*
Camp de nudistes	*Plage d'habillement optionnel*

Camping-car	*Autocaravane*
Cancre	*Élève en difficulté*
Cantine	*Restaurant d'entreprise Espace restauration*
Capitalisme	*Économie de marché*
Car-ferry	*Navire transbordeur*
Caractériel	*Psychopathe*
Caravaning	*Caravanage*
Carnivore	*Non-végétarien*
Carreleur	*Poseur / seuse de revêtements rigides*
Cash and carry	*Payer et prendre*
Casseurs	*Jeunes des quartiers sensibles*
Challenger	*Défieur*

Charrette (préparer une)	*Envisager un dégraissage*
Charpentier	*Monteur / teuse en structures bois*
Chef de produit	*Animateur / trice en marchandisage*
Chef de rang	*Serveur / se en restauration*
Chef magasinier	*Agent / e de magasinage*
Chercheur d'or	*Ouvrier / ière de l'extraction solide*
Chômeur	*Demandeur d'emploi*
Choriste	*Artiste de la musique et du chant*
Clan sur Internet	*Communauté virtuelle*
Clandestin	*Réfugié économique débouté du droit d'asile*

Classes de bons
   élèves   *Classes à profil*

Clochard   *SDF*

Coiffeur   *Capilliculteur / trice*

Collèges des quartiers
   défavorisés   *Zones d'éducation*
                           prioritaires

Colonisation   *Découverte*

Commis charcutier   *Assistant / e*
                           de fabrication
                           de l'alimentation

Commis de ferme   *Technicien / ne*
                           d'élevage

Commissaire de police   *Cadre chargé / e de*
                           la sécurité publique

Communication entre
   les objets dotés de
   puces électroniques   *Domotique*

Compagnie générale des matières nucléaires	*COGEMA*
Comprendre (Éducation nationale)	*S'approprier un message*
Concierge (cités)	*Auxiliaire de gardiennage et de médiation*
(Paris)	*Agent/e de gardiennage et d'entretien*
Concurrence	*Positionnement qualitatif*
Conducteur de métro	*Conducteur/trice sur réseau guidé*
Constructeur d'équipements de télécommunications	*Équipementier*
Consultant/e sur Internet	*Internaute*

Contrôle antidopage	*Suivi médical longitudinal*
Contrôle de l'immigration	*Maîtrise des flux migratoires*
Contrôleur des impôts	*Contrôleur / euse de la régularité des finances publiques*
Convergence	*Harmonisation*
Cordonnier	*Réparateur / trice d'articles en cuir et autres matériaux souples*
Corner (football)	*Jet de coin*
Corruption	*Affaires*
Coursier	*Distributeur / trice messagerie*
Crash d'avion de ligne	*Retard indéterminé*
Crash	*Écrasement*

Création de mammifères	*Clonage*
Crétin	*Cérébralement différent*
Crise	*Récession*
Croupier	*Chef de boule*
Cuisinier	*Chef grilladin*
Cyberboutique	*Zéro surface*
Dactylo	*Transcripteur / trice dactylographe*
Dame-pipi	*Gardienne de lavatorie*
Danger	*Dangerosité*
Danseur	*Artiste de la danse*
Décorateur	*Transcripteur / trice de support de communication visuelle*
Demandeur d'asile	*Réfugié économique*

Démarcheur porte
   à porte

*Représentant / e
à domicile*

Démocrate (être)

Respecter l'alternance

Démocratie

Transparence

Déportation et châti-
   ments corporels

*Rééducation à la
campagne (Chine)*

Design

Stylique

Différences d'opinion
   dans la majorité

Majorité plurielle

Directeur du
   personnel

DRH

Disc-jockey

*D.J. (prononcer :
DIDJÉ)*

Diversion (créer)
   en s'infiltrant dans
   le camp adverse
   sans le ballon

*Passage à vide
(nouvelle règle du
rugby)*

Divorce	*Démariage*
Docker	*Agent / e de déplace-ment et de manipula-tion des charges por-tuaires*
Drogue	*Conduite addictive*
Droits de l'homme	*Droits de la personne humaine*
E-mail	*Courrier électronique Courriel Échange synchrone nourri par une illusion de synchronicité*
Ébéniste	*Façonnier / ière d'ou-vrages décoratifs en bois et matériaux associés*
Éboueur	*Agent / e de traitement des déchets urbains et industriels*
Écrans défilant sur Internet	*Menus déroulants Pop-up*

Écrivains (les)	*Gens de lettres*
Égalité entre les sexes	*Parité hommes-femmes*
Élection (se présenter à une)	*Contribuer à l'émergence d'une solution républicaine*
Électricien (spectacle)	*Professionnel de l'éclairage*
Emballage	*Conditionnement*
Emballage nouveau	*Packaging novateur*
Employé aux petites réparations, à l'effacement des tags et au changement des ampoules dans les cages d'escalier	*Agent de sur-entretien*
Employé de banque	*Agent / e administratif des opérations bancaires*

Employé de libre-service	*Gondolier / ière*
Employé de télésiège	*Agent / te de remontée filo-guidée*
Enfant d'immigré né en France	*Immigré de la seconde génération*
Enseignement d'accès sur Internet	*Cyber profs*
Enterrement	*Inhumation*
Entretien	*Hygiène de surface*
Esquimau	*Inuit*
Étude de notaire	*Office notarial*
Europe (croire à l')	*Europhorique*
(ne pas croire à l')	*Eurosceptique*
Europe de la monnaie unique	*Euroland ou Eurolande*

Exagérer	*Surdimensionner*
Exclus	*Individus affectés du syndrome structurel de l'inaptitude à intégrer la normalité*
Expulsion doublée d'une interdiction de territoire	*Reconduite à la frontière*
Facteur	*Distributeur / trice de messagerie*
Faim imposée à un pays	*Embargo*
Fait divers monté en épingle	*Non-événement*
Fast-food	*Restauvite Prêt-à-manger*
Fausses dents	*Denture alternative*
Femme de ménage	*Technicien / ne de surface*

Femme de service	*Agent / e de service de collectivité*
Fièvre	*Hyperthermie*
Figurant	*Artiste dramatique*
Fille-mère	*Mère célibataire*
Flux de gènes non contrôlable dans l'environnement	*Culture des plantes transgéniques*
Forgeron	*Agent / e d'usinage de métaux*
Formation en continu	*Employabilité*
Fou	*Personnalité patholo-gique de type border-line*
Fuel (pollution par le)	*Hydrocarbures*
Funambule	*Artiste du cirque et du music-hall*

Gains annuels d'un travailleur saisonnier mensualisés par l'employeur	*Lissage du salaire*
Gamme de produits	*Déclinaison des marques au niveau graphique*
Garagiste	*Mécanicien / ne d'entretien de véhicules de transport*
Garde-chasse	*Chargé / e de la protection du patrimoine naturel*
Géant	*Personne de grande taille*
Génocide	*Nettoyage ethnique*
Ghetto	*Zone urbaine sensible*
Ghettos	*Nationalismes de quartier*
Gitans	*Gens du voyage*

Grève (service mini-mum en cas de)	*Continuité du servic public*
Groom	*Employé / e du hall*
Gros	*Personne possédant une image corporelle alternative*
Grosse (terme juridique)	*Décision de justice revêtue de la déci-sion exécutoire*
Guichetier	*Agent / e de banque en contact avec la clientèle*
Handicapé	*Personne à mobilité réduite*
Héritage	*Succession*
Hommes de loi (les)	*Juristes*
Hommes de science (les)	*Scientifiques*

Hommes politiques (les)	*Les hommes et femmes politiques*
Hommes d'affaires	*Hommes et femmes d'affaires*
Honte de l'église	*Repentance*
Horaires allégés	*Lycée light (nom donné par le syndicat SNES à la réforme Allègre)*
Horloger	*Maintenicien / ne en microsystèmes horlogers*
Hôtesse de l'air	*Personnel navigant commercial de l'aviation commerciale*
Huile	*Lubrifiant*
Huissier	*Agent / e d'accueil*
Huissier de justice	*Juriste*

Immigration	*Flux migratoire*
Immigré (plus un seul)	*Immigration zéro*
Imprésario	*Agent / e de promo-tion des artistes*
Incapable	*Inapte*
Incident technique sur ordinateur	*Bug / Bogue*
Inculpé	*Mis en examen*
Indicateur de position X-Y pour système d'affichage sur ordinateur	*Souris / Mulot*
Indiens (d'Amérique)	*Américains de souche*
Infirmières (les)	*Personnel infirmier*
Influence	*Impact*
Ingénieur électronicien	*Employé(e) au génie logiciel temps réel*

Injustice	*Législation compliquée et insatisfaisante*
Insémination artificielle	*Procréation médicale assistée*
Inspecteur de police	*Technicien / ne de la sécurité et de l'ordre public*
Inspecteur du travail	*Contrôleur / euse de la défense des droits des personnes*
Instituteur	*Professeur des écoles*
Insulte	*Atteinte à la dignité*
Intégriste	*Traditionaliste*
Internet au sein de l'entreprise	*Intranet*
Internet	*Le Web Le Réseau La Toile*

Intoxication par le plomb	*Saturnisme*
Jardinier	*Agent / e d'entretien de la nature*
Jardinière d'enfants	*Coordinateur / trice de petite enfance*
Jeu à l'infini sur Internet (on line)	*Jeu en ligne* *Jeu en réseau*
Jeux vidéo (grands amateurs de)	*Ludomaniaques*
Jeux vidéo	*Explorations ludo-vidéo-musicales*
Juge d'instruction	*Cadre juridique garant des règles constitutionnelles*
Jungle	*Forêt tropicale*
Laid	*Esthétiquement différent*
Latino-Américain	*Hispanique*

Légalisation	*Dépénalisation*
Licenciement des plus de 50 ans	*Optimisation des ressources humaines*
Licenciement	*Réduction des sur-effectifs Plan d'ajustement social*
Lien	*Concaténation*
Lieu non pollué	*Écosystème fermé*
Lifting	*Remodelage*
Livreur	*Accompagnateur / trice de paquets*
Livreur de pizzas	*Livreur / se à domicile de biens de consommation*
Lobby nucléaire	*Nucléocrates*

Machine multimédia à la sortie des hypermarchés permettant en tapant le numéro du morceau de viande que l'on vient d'acheter d'en vérifier la provenance	*Borne interactive de traçabilité du bovin*
Mme l'ambassadeur	*Mme l'ambassadrice*
Mme le ministre	*Mme la ministre*
Mme Pierre Dupont	*Mme Jeanne Dupont*
Mlle Dupont	*Mme Dupont*
Mafia	*Crime organisé non officiel*
Magasinier	*Agent/e du stockage et de la répartition des marchandises*
Magazines publiés sur Internet	*Webzines*

Maïs contenant des gènes étrangers :
1) gène insecticide
2) gène de résistance à l'herbicide
3) gène de résistance à un antibiotique   *Maïs transgénique*

Maison de la culture   *Établissement public d'intégration urbaine*

Manipuler   *Motiver*

Mannequin   *Présentateur / trice de modèles*

Manucure   *Technicien / ne des ongles*

Maquereau   *Proxénète*

Maquilleuse   *Visagiste*

Maraîcher   *Ouvrier / ère primeuriste*

Maréchal-ferrant	*Métallier / ière artisanal équestre*
Marketing	*Mercatique*
Marketing téléphonique	*Téléphonage*
Maroquinier	*Vendeur / euse en équipement de la personne*
Marque (une marque de soda vend des vêtements)	*Marketing relationnel*
Masseur	*Kinésithérapeute*
Mensonge	*Désinformation Inexactitude terminologique*
Mère célibataire	*Parent isolé*
Mineur	*Ouvrier / ère de l'extraction solide*
Minimiser	*Sous-dimensionner*

Minorité ethnique

Personnes de culture différente

Mise en examen des responsables politiques se trouvant en cause dans des affaires de corruption

Judiciarisation de la démocratie

Mode

Tendance

Monde en trois dimensions

Univers en 3 D

Moniteur de colonie de vacances

Animateur / trice généraliste de loisirs

Morgue

Institut médico-légal

Mort

Processus biologique terminal

Mouroir

Unité de soins palliatifs

Moyen de transmettre l'information avec plus de rapidité	*Outil de réalité augmentée*
Musulman	*Islamique*
Nain	*Personne de petite taille*
Nègre (édition)	*Rewriter*
Neutre	*Non aligné*
Noter un devoir (profs)	*Communiquer une représentation*
Nourrice	*Intervenant / e auprès d'enfants*
Noyade	*Hydrocution*
Nursery	*Nourricerie*
Œnologue	*Testeur / se sensoriel / le*

Offshore	*Extraterritorial*
One man show	*Spectacle solo*
Opération	*Intervention*
Ordinateur en panne	*Plantage informatique*
Ordinateur	*Organe médiabolique*
Ordre (dans les cités)	*Reconquête républicaine des quartiers*
Ouvrier textile	*Conducteur / trice de machine d'ennoblissement textile*
Panique	*Psychose*
Panneaux publicitaires	*Affichage urbain*
Parasite de logiciel	*Virus informatique*
Parcours touristiques sur les lieux de misère	*Reality tours*

Partouze	*Relations non monogamiques*
Passer un examen	*Se présenter pour une évaluation certificative*
Pauvre	*Économiquement marginalisé*
Pauvres et riches (les)	*Fracture sociale*
Pavillon des cancéreux	*Service oncologique*
Pays riches	*Pays du Nord*
Paysan	*Agriculteur*
Pédicure	*Podologue*
Pédophiles sur Internet	*Cyberpédophiles*
Penalty	*Tir de réparation*

Pensée unique

Comportement déterminé par des exigences économiques de type libéral

Percepteur

Contrôleur / se de l'utilisation des fonds publics

Pianiste
d'accompagnement

Collaborateur pianiste

Pilote

Personnel navigant technique de l'aviation

Pion (d'établissement
scolaire)

Personnel d'éducation et de surveillance d'établissement d'enseignement

Plan de carrière
professionnelle

Ascenseur social

Plante d'appartement

Compagnon botanique

Plastique (maroquinerie de luxe)	*Toile monogrammée en polychlorure de vinyle ou PVC*
(voitures : ailes et portières)	*Composite*
(voitures : planche de bord)	*Peau gainée*
(voitures : imitation ronce de noyer)	*Substitut écologique*
(canapés)	*Alcantara / Daim traité chimiquement*
(meubles)	*Résine*
(voilier de plaisance)	*Polyester insaturé thermodurcissable*
Plastique transparent (mise sous)	*Lifting translucide*
Plombier	*Installateur / trice d'équipements sanitaires et thermiques*

Plongeur

Aide de cuisine

Poissonnier

Préparateur / trice en produits de la pêche

Poitrine (grosse)

Volume mammaire conséquent

Pole position

Position de pointe

Police dans les quartiers défavorisés

Police de proximité

Politique régionale renforcée

Démocratie de proximité

Pompiste

Animateur / trice de piste

Poupée en 3 D sur Internet

Dancing baby

Présence policière dans les banlieues

Saupoudrage d'îlotiers dans les cités

Présentation des produits	*Formatage aux besoins du marché*
Préserver l'environnement	*Recycler le combustible nucléaire (campagne de publicité de la Cogema)*
Principal de collège	*Administrateur/trice d'établissement d'enseignement secondaire*
Prison (loin du domicile)	*Centre de retenue*
Prison	*Maison d'arrêt, centre de réinsertion*
Prisonnier	*Client du système carcéral*
Produits démodés	*Productivité non réactive aux courants de la mode*
Propos démagogique	*Effet d'annonce*

Prostituée	*Travailleuse du sexe*
Quartiers aisés	*Enclavement des nouveaux villages résidentiels*
Quartiers dangereux	*Zones de non-droit*
Race	*Ethnie*
Racisme	*Harcèlement racial Tensions interculturelles*
Ramoneur	*Intervenant en génie climatique*
Ras-le-bol	*Seuil de tolérance*
Ratage	*Contre-performance*
Récession	*Période provisoire de réajustement*
Réchauffement climatique	*Effet de serre*

Recherche sur Internet (rapidité)	*Vitesse de navigation*
Recherche sur Internet	*Naviguer sur le Net Surfer sur Internet*
Reconversion	*Compétences mobilisables*
Rémouleur	*Métallier artisanal*
Renouveler une gamme de produits	*Dynamiser le linéaire pour rendre le produit plus lisible en l'installant dans la permanence*
Repasseur	*Opérateur / trice d'entretien des articles textiles*
Repères	*Représentations structurantes*
Représentant	*Spécialiste de produits*

Résoudre	*Solutionner*
Retoucheuse	*Réparateur / trice en habillement*
Retraite (travailler au-delà de la)	*Être encore en activité*
Retraite anticipée	*Cessation progressive d'activité*
Sale	*Hygiéniquement contestable*
Sanisette	*Mobilier urbain*
Satellite	*Orbiteur*
Savoir	*Compétences cognitives*
Savoir écrire (Éduction nationale)	*Produire un message qui réponde à une situation de communication différée*
Savoir-vivre sur Internet (manuel de)	*Nétiquette*

Sculpteur	*Artiste plasticien / ne*
Séance d'humiliation publique	*Autocritique (Chine)*
Secrétaire	*Secrétaire bureautique polyvalent / e*
Serveuse	*Hôtesse de table*
Sexe faible (le)	*Les femmes*
Site bombardé	*Objectif traité*
Site sur Internet	*Pignon sur le Web*
Sondage	*Panel*
Sourd	*Malentendant*
Spécialité française	*Exception française*
Standardiste	*Agent / e d'accueil*
Surf	*Jeu de glisse*
Sursis (militaire)	*Report d'incorporation*

Surveillant général de collège	*Conseiller / ère d'éducation*
Tailleur	*Fabricant / e de vêtements sur mesure*
Tapissier	*Façonneur d'ouvrages d'art en fils*
Taux excessif de plomb dans le sang	*Plombémie*
Taxidermiste	*Professionnel de la conservation des animaux*
Teasing	*Aguichage*
Technique	*Technologie*
Teinturier	*Professionnel / le de l'entretien artisanal des textiles*
Téléphone (réparateur de)	*Maintenicien / ne en électronique*

Tiers-monde

Pays en voie de développement
Pays en développement
Pays du Sud

Tir raté (armée)

Dégâts collatéraux

Tour operator

Voyagiste

Tourneur

Opérateur-régleur / opératrice-régleuse sur machine-outil

Trappeur

Collecteur / trice d'espèces sauvages

Travail pour tous

Plein emploi

Travail

Vecteur de l'organisation sociale

Travailleurs associatifs de quartiers

Grands frères

Trieuse automatique de courrier	*TABOU (Trieuse automatique de bureau pour l'ordonnancement unitaire)*
Tripier	*Préparateur / trice en produits carnés*
Troisième étage	*Niveau 3*
Tueur en série	*Serial killer*
Uniforme	*Accessoire de carrière*
Vache folle (Maladie humaine similaire à la)	*Maladie de Creutzfeld-Jacob*
Vache folle (maladie de la)	*ESB (encéphalopathie spongiforme bovine)*
Vacher Vendeurs par	*Éleveur / se laitier / ère*

téléphone	*Téléacteurs*
Vendre	*Optimiser les ventes*
Ventre (avoir un peu de...)	*Avoir une légère surcharge pondérale*
Victime de la mode	*Fashion victim*
Vieille fille	*Famille monoparentale sans enfants*
Vieillesse	*Troisième âge*
Vieux	*Chronologiquement désavantagé*
Vitrier	*Poseur / se de fermetures menuisées*
Zoo	*Parc de conservation de la vie sauvage*

SECONDE PARTIE

Rions un peu,
beaucoup
ou pas du tout
avec les dérivés du
« correct »

LE XÉNOPHOBIQUEMENT CORRECT

Commençons par le moins drôle. Vous êtes xénophobe, peut-être même homme politique attaché aux principes ultranationaux. La loi vous interdit dorénavant de cracher votre haine raciste ? Qu'à cela ne tienne ! Faites comme ce dirigeant d'extrême droite. Le principe est retors mais, vous allez voir, aisément compréhensible :

1) Vous faites semblant de vous étonner des fondements de la loi : « Ah bon ? On ne peut plus dire " bougnoules " ? »

2) Vous faites semblant de jouer au bon citoyen respectueux de la loi, avec un clin d'œil du côté de votre électorat, et vous déclarez : « Au lieu de dire " Les Bougnoules à la mer ", disons qu' " il faut organiser le retour chez eux des immigrés du tiers-monde. " (Cette phrase a véritablement été prononcée par ce même représentant de l'extrême droite.)

3) Ainsi, chaque fois que vous direz « Immigrés du tiers-monde », ceux qui aiment lire entre vos lignes comprendront « bougnoules », surtout si vous le leur rappelez de temps en temps par un « point de détail ».

INCORRECT	CORRECT
Arabes à la mer (les)	Il faut raccompagner chez eux les immigrés du tiers-monde.
Assimilation	Dilution du patrimoine génétique.
Banlieues défavorisées	Zones de peuplement ethnique.
Bougnoules (à la mer)	Il faut organiser le retour chez eux des immigrés du tiers-monde.
Deux millions et demi de chômeurs	Deux millions et demi d'immigrés en trop.
Discrimination contre les étrangers	Préférence nationale.
Enfant pauvre et basané, né en France	Enfant d'immigré.
Enfant de Français « de souche »	Enfant autochtone.

Expulsions on s'en fout (les)	Une reconduite à la frontière, c'est certes un drame individuel, mais ce n'est pas un drame national.
Foulard islamique	Colonisation à rebours.
Immigration	Délinquance. Éléments allogènes inassimilables. Invasion apparemment pacifique.
Immigré	Chômeur étranger. Y' a bon RMI, y' a bon la Sécu.
Immigrés (les) Dehors !	Ces hordes qui déferlent sous la pression démographique du Sud. Nous sommes des créatures vivantes, nous faisons partie de la nature. Les grandes lois des espèces gouvernent aussi les hommes malgré leur intelligence et parfois leur vanité. Nous avons besoin, comme les animaux, d'un territoire.

Inégalités sociales	Différences naturelles.
Islam	Ennemi naturel de l'Europe.
Islamique	Islamiste.
Islamiste	Terroriste.
Médias	Des apatrides levantins inféodés au pouvoir judéo-maçonnique.
Les Sans-papiers	Immigrés illégaux. Immigrés illégitimes.
Race blanche est supérieure (la)	Les borgnes ne sont pas égaux avec ceux qui ont des yeux, ni les jeunes avec les vieux, ni les forts avec les faibles.

Considérons maintenant comment chacun d'entre nous utilise le « correct ». Nous avons sélectionné *telles quelles* des expressions glanées au gré des guides touristiques, des lettres d'éditeurs et des critiques de cinéma.

LE TOURISTIQUEMENT CORRECT

Vous êtes critique gastronomique. Vous parcourez la belle France pour noter restaurants, hôtels et autres châteaux du Bordelais.

Vous tombez parfois sur des établissements qui vous consternent mais vous ne souhaitez pas froisser les propriétaires.

Heureusement, avec l'aide du « correct », vous pouvez faire comprendre en douceur qu'il y a certains lieux où il serait souhaitable de ne pas faire étape.

INCORRECT	CORRECT
Additions salées	Additions indigestes.
Attention travaux	En cours d'agrandissement.
Chambres ternes	Chambres rustiques un peu passe-partout.
Cuisine indigeste	Le jus du chapon aurait gagné à être dégraissé plutôt que brouillé par un malencontreux coulis d'asperges.
Cuisine insipide	Les petits artichauts d'accompagnement, quoique sans reproche, n'émeuvent pas plus que la crème à l'ail un peu terne.
Cuisine laborieuse	Le chef a quelque peine à faire chanter sa technique.
Cuisine médiocre	La cuisine nous a un peu déçus par le manque de saveurs franches de la plupart des plats choisis.
Cuisine monotone	Cuisine habile mais qui s'endort sur ses lauriers.

INCORRECT	CORRECT
Cuisine sans la moindre imagination	Les langoustines sont magnifiques mais le voisinage d'un peu de chou-fleur et d'une sauce gribiche aux saveurs timides laissent coi.
Décor de mauvais goût	Manoir très kitsch, dont le décor exubérant, sous une verrière en trompe-l'œil Tiffany, baigne dans une voluptueuse lumière rose.
Décor horrible	Les jeunes propriétaires se sont installés avec peu de moyens et beaucoup de mérite, alors beau-papa les a aidés pour le décor. En revanche, la vue sur le vallon est très belle...
Décor vieilli	La salle et ses murs jaunes auraient besoin d'un petit toilettage. Un petit coup de pinceau rafraîchira le modeste décor bistrotier.
Nains de jardin	Chambres coquettes. Extérieur embelli.

INCORRECT	CORRECT
Peinture (ça sent la)	Bonne adresse, au décor sans complication, bien tenue et encore dans son neuf.
Poisson pas frais	Évitez la tout juste honnête terrine de Saint-Jacques.
Restaurant antipathique	La crème cuite aux pommes finit d'éteindre un enthousiasme que le décor cossu et la clientèle de notables n'aident guère à entretenir.
Service lent	Pendant le repas, vous aurez le temps de détailler le décor.
Viande est dure (la)	Rude rôti de bœuf. Bavette grillée résistante.
Vin (mauvais)	Sauvignon non filtré enneigé comme une tour Eiffel que l'on retourne.
(choix réduit)	Cave un peu courte pour être à la hauteur de l'enseigne.
(choix réduit et cher)	La petite carte des vins manque de précision.

L'ÉDITORIALEMENT CORRECT

Vous êtes éditeur et vous avez reçu un projet qui ne vous intéresse absolument pas.

Pour vous éviter de dire crûment :

*« **Votre manuscrit est une catastrophe.** »*

Voici quelques suggestions « correctes » :

- Vous pouvez adresser votre texte chez un autre éditeur qui pourrait, je vous le souhaite, être plus réceptif à votre projet.

- Nous vous remercions de la confiance que vous nous avez témoignée en nous faisant parvenir votre manuscrit.

- Votre manuscrit a été examiné avec attention par notre comité de lecture. Malheureusement, il ne correspond pas aux types d'ouvrages que nous recherchons actuellement.

- Votre texte est à votre disposition dans nos locaux. Nous vous demandons de bien vouloir venir le prendre, le manque de place ne nous permettant pas de le garder au-delà d'un mois.

- Il nous a semblé que la complexité de votre récit et la surcharge d'érudition nuisaient à l'efficacité romanesque.

- Le monde de l'édition est heureusement vaste, je vous souhaite bonne chance.

- Nous vous rappelons qu'un éditeur n'est pas responsable des manuscrits qui lui sont adressés spontanément. Nous vous proposons donc de vous réexpédier le vôtre. A cet effet, nous vous remercions de vous faire parvenir la somme indiquée en tête de cette lettre augmentée, le cas échéant, de 10 F pour un envoi recommandé, d'ici un mois au plus tard. Passé ce délai d'un mois, nous procéderons à la destruction du manuscrit.

- La forme que vous avez choisie ne permet pas l'épanouissement romanesque de votre projet.

LE CINÉMATOGRAPHIQUEMENT CORRECT

Vous êtes un vrai critique de cinéma. Vous ne pouvez donc pas vous limiter à dire « C'est bien, c'est pas bien », ou encore « J'ai aimé, j'ai pas aimé ». Voyez ce que nous avons collecté pour vous :

ACTEUR (JEUNE ET SUPERBE) : Acteur post-jeune-premier le plus intéressant du cinéma français.

(SUPERBE) : Il joue par soustraction, c'est-à-dire qu'il semble avoir enlevé tout gras superflu de son visage et de son corps, tout mot inutile de sa bouche et de son dialogue, tout effet corporel ajouté à sa claudication minimale, au léger tremblement de sa main, à l'austérité de ses gestes.

CINÉMA COMMERCIAL : Devant tant de vacuité, le spectateur acquiert la certitude que cette coproduction se précipite tout droit vers un gouffre abyssal, non pas celui des mystères des plaisirs de la chair, mais celui des évidences de l'industrie cinématographique.

FILM BÊTE : Espérons que le réalisateur va entrer en résistance, retrouver sa verve poétique et permettre à l'esprit de prendre sa revanche sur la matière.

FILM RÉALISTE : Relâche les liens sensori-moteurs, développe le motif de la balade comme modalité de l'existence.

FILM NON RÉALISTE : Multiplie les procédures de distanciation : frontalité théâtrale, dialogues littéraires, irréalité des décors, ou encore abondance d'hypotyposes. Le travail sur la bande-son renforce l'irréalité.

FILM RATÉ : Ce film bien-pensant en vient, par contamination, à adopter le point de vue, donc la logique, de l'ennemi qu'il s'est donné. En football, on appelle ça marquer un but contre son camp.

ON A AIMÉ : D'où vient l'impression de vie véritable qui émane de ce film, sitôt admis que cette impression ne peut se contenter de la restitution d'un réel brut enregistré ? On peut penser qu'elle passe par le sentiment fluctuant de l'existence de la caméra dans le processus permanent de filmage.

ON A AIMÉ LA FIN : Lors des séquences qui réunissent, seules, les deux héroïnes, la caméra se fait, enfin, frontale, simple témoin de la proximité de deux personnages, de la collision paradoxale de deux corps et de deux actrices. Là, loin de la frilosité de l'autre versant du film, le réalisateur capte avec une intensité distante le moindre souffle comme une trace fugitive, comme un geste d'amour.

ON N'A PAS AIMÉ DU TOUT : C'est probablement le film le plus étroit de son auteur. L'enchaînement des plans est parfois aussi prévisible que le fatum qui accable le personnage.

ON S'EST ENNUYÉ UN PEU : Le réalisateur se complaît dans sa mise en scène faussement soignée au point de recommencer à intervalles réguliers les plans qu'il a dû trouver réussis.

ON S'EST ENNUYÉ BEAUCOUP : C'est quand même bien peu et, à partir d'un sujet périlleux, la dégringolade s'opère dans les règles, séquence après séquence, l'insignifiance s'impose au regard à force de grandiloquence dans les mouvements de caméra, les décors, les lumières... L'imminence du passage ultime se traduit par le parti pris de faire durer chaque scène au moins deux fois plus longtemps que nécessaire (le film dure trois heures), d'étirer chaque moment au-delà de son point de vide absolu. Mais c'est une vacuité qui ne produit rien, donnant simplement l'impression que le film se déroule au ralenti et se dilue peu à peu en lui-même.

ON A DÉTESTÉ UN PEU : Les dialogues en rajoutent encore dans la glose explicative jusqu'à transformer les personnages en une harassante galerie de clochards philosophes, se gargarisant de mots d'auteurs existentiels surécrits. C'est peu dire que les velléités de mystère de ce conte philosophique aux confins du fantastique ne résistent pas à un tel fléchage du sens.

ON A DÉTESTÉ BEAUCOUP : Relégué au statut de faire-valoir de l'héroïsme ordinaire, l'enfant est vu de haut et n'a pas plus d'existence qu'un petit animal que l'on dresse.
Prisonnier comme lui d'une imagerie de la francité, le temps est réduit à l'état de vignette jaunie. Ce film est un téléfilm suranné qui ferait passer *La vie est belle* pour le summum du baroquisme.

**Vous pouvez vous aussi créer
votre propre « correct » !
Nous nous y sommes essayés pour vous.**

LE GASTRONOMIQUEMENT CORRECT

Vous êtes restaurateur débutant, et vous n'avez pas encore les moyens de vous lancer dans la très grande cuisine.

Rassurez-vous. Si vous restez simple dans le choix des mets, vous pouvez grâce au langage ampoulé du « correct » compliquer à merci l'appellation des plats pour créer l'illusion des grands restaurants.

Vive le « gastronomiquement correct » et bon appétit !

INCORRECT	CORRECT
Blanquette de veau	Salpicon de veau élevé sous la mère en son roux de velouté de champignons.
Champignons à la grecque	Mousserons sirtaki.
Chèvre chaud sur toast	Étron chavignolais rôti alangui sur sa mie.
Hachis parmentier	Miettes de filet mignon et leur fouillis de pommes de terre en leur jus.
Hamburger-frites	Hachis de paleron de bœuf et ses beignets de morelle tubéreuse de pays.

INCORRECT	**CORRECT**
Jambon blanc-purée	Émincé d'épaule de cochon à la parmentière.
Maquereaux au vin blanc	Effilochée de poisson irisé de la baie de Concarneau en sa marinade sancerroise.
Nouilles	Turbans de semoule de froment al dente et à la Leonardo da Vinci.
Œuf mayonnaise	Œuf de poule en escabèche de moutarde.
Omelette au fromage	Méli-mélo du poulailler aux fins copeaux de fribourg.
Sardines à l'huile	Perles de l'océan délicatement oléaginées et leur farandole de petites arêtes.
Soupe aux légumes	Velouté jardinier servi en son bol de grès de Fontainebleau.
Thon à l'huile	Émincé de scombre en son huile parfumée au sel de Guérande et présenté dans son ramequin de fer-blanc.

LE MÉDIATIQUEMENT CORRECT

En matière de « correct », les journalistes ne sont pas en reste. Ne sont-ils pas les premiers à véhiculer le soi-disant « politiquement correct » ?

La métaphore est ici érigée en dogme. C'est à se demander si certains de nos chers confrères, frustrés de création littéraire, n'auraient pas tendance à en faire un peu trop.

Pour leur rendre amicalement hommage, nous avons sollicité la complicité du grand La Fontaine.

La cigale et la fourmi :

De source généralement bien informée, nous apprenons qu'un insecte de type cigale aurait, sous réserve, été fortement fragilisé par les rigueurs conjuguées de la baisse du mercure et de la chute du thermomètre qui ont, comme chacun sait, franchi ces jours derniers la ligne jaune de l'inacceptable.

Il semblerait que ledit homoptère, que l'on pourrait taxer d'une certaine insouciance, voire d'une insouciance certaine, n'aurait pas su gérer, au grand dam de ses congénères qui vivent également en milieu arboré, le stockage d'un précieux viatique qui lui aurait permis de faire face à l'offensive inopinée du général Hiver. Fragilisée, je cite, par une légèreté atavique qui serait, selon certains, son talon d'Achille, et par une propension à chanter pendant la trêve estivale, c'était donc, pour la cigale, la rentrée de tous les dangers.

Clouée au pilori et peu encline à passer sous les fourches caudines de certaines cassandres qui la voyaient déjà sacrifiée sur l'autel de son incroyable insouciance, elle se risqua à solliciter dame fourmi sa voisine dont la réputation de sérieux n'est plus à faire. On se souvient en effet à quel point ce noyau dur de la courageuse famille des hymnéoptères a toujours su se tailler la part du lion après avoir mangé tant de vaches maigres. Donc un parcours sans faute malgré les zones de fluctuations et autres turbulences.

C'est ainsi qu'on ne s'étonnera pas d'apprendre que la fourmi, non contente de sortir immédiatement le carton rouge et de renvoyer la cigale dans ses buts, s'empressa de fustiger les thuriféraires d'une politique économique cigalienne rétrograde et dépassée.

Devant cette partie de bras de fer et ce tir de barrage, la cigale, refusant de baisser la garde, proposa en désespoir de cause de revoir ses prétentions à la baisse pour donner encore un peu de grain à moudre à un débat qui risquait de tourner court. Elle prétendit même être victime d'un lynchage médiatico-judiciaire. Réponse sans appel de la représentante hymnéoptérienne bien décidée à porter l'estocade : « Vous qui avez si bien pratiqué l'art du bel canto, pourquoi ne pas tenter un nouveau challenge en vous essayant à la chorégraphie sous les ors lambrissés du palais Garnier ? »

L'IMMOBILIÈREMENT CORRECT

Vous êtes agent, pardon « transacteur » en immobilier. Ce n'est pas facile tous les jours, surtout lorsque le marché est à la morosité. Passer une annonce coûte cher. Il faut donc être concis, voire elliptique pour décrire un appartement en quelques mots :

INCORRECT	CORRECT
L'appartement donne sur un boulevard très bruyant	Dble vitr.
HLM	Imm. récent
Quartier chaud, rue piétonne très bruyante, premier étage au-dessus d'un restaurant grec, sans gardien	Occas. à sais. charme, poutres app., digic.
Décoration surréaliste entre bordel chinois et case bantoue	Déco origin.
Béton encore frais.	Vol. à amén.
Possibilité de mettre un pot de fleurs devant sa fenêtre	Jard. priv. RdC

INCORRECT	CORRECT
39 m² découpés en quatre cellules monacales avec WC chimique, bidet télescopique et douche escamotable	Poss. 4/5 pièces
Balcon intérieur où l'on peut se tenir debout dessus mais pas dessous	Mezzan.
Balcon intérieur où l'on peut se tenir debout dessous, mais pas dessus	Logg.

LE FRANCO-FRANÇAIS CORRECT

Il vous reste encore à purifier votre français de tous ces anglicismes qui tombent, depuis 1994, sous le coup de la loi Toubon et nous nous sommes amusés à compléter le *Dictionnaire des termes officiels de la langue française.*

INCORRECT	CORRECT
Baba cool	Baba frais
Banana-split	Banane fendue
Bloody Mary	Marie saignante
Boat people	Gens du bateau
Cow-boy	Garçon vache
Crazy Horse Saloon	Salon du Cheval Fou
Destroyer	Destructeur
Fox-trot	Trot du renard
Garden-party	Partie de jardin
Happy Few	Les heureux peu
Honeywell Bull	Mielbien Taureau
Johnny Walker	Jeannot Marcheur
Madame Butterfly	Madame Mouche à Beurre

INCORRECT	CORRECT
Melting pot	Pot fondant
Milk-shake	Lait secoué
Paris Match	Paris Allumette
Pin-up	Épingle en l'air
Play-boy	Garçon-jouet
Prime time	Premier temps
Pull-over	Tire-au-dessus
Quaker oats	Avoines branlées
Rock and roll	Balancé-roulé
Scoop	Épuisette
Soap	Savon
Steeple-chase	Chasse au clocher
Talkie-walkie	Parlie-marchie
Thriller	Frissonneur
Water-closets	Placards d'eau
Who's Who	Qui est Qui

CORRECTEMENT DIT

Attention ! Tout ce que nous venons de voir ne doit pas nous faire oublier le : « Tu ne pourrais pas parler correctement ! » de notre enfance.

INCORRECT	CORRECT
Andouille (*Arrête de faire l'*)	Cesse de te donner l'apparence d'une préparation de charcuterie à base de boyaux de porc coupés en lanières et enserrés dans une partie du gros intestin.
Bonbons (*Tu me casses les*)	Tu me brises les petites friandises faites de sirop aromatisé et coloré.
Con (*comme un balai*)	Avoir la même inertie mentale qu'un ustensile composé d'un long manche auquel est fixé une brosse à longs poils.
Couille (*Il y a une ... dans le potage*)	Il y a une gonade mâle de forme ovale dans le bouillon dans lequel on a fait cuire des aliments solides.
Cul (*Et mon..., c'est du poulet ?*)	Et l'extrémité postérieure de mon corps, c'est un jeune gallinacé ?

INCORRECT	CORRECT
Gueule de bois (*J'ai la...*)	J'ai le dosier en matière lisse et compacte.
Grappe (*Lâche-moi la...*)	Cesse de me tenir l'assemblage de fruits portés par des pédoncules étagés sur un axe commun.
Hannetons (*C'est pas piqué des...*)	C'est pas piqué des coléoptères roux à antennes en lamelles.
Haricot (*Tu me cours sur le...*)	Tu me cours sur la légumineuse papilionacée.
Merinos (*Laisse pisser le...*)	Autorise l'évacuation du liquide organique formé dans le rein d'un ovidé à toison épaisse.
Œuf (*Va te faire cuire un...*)	Va rendre propre à l'alimentation, par une forte chaleur qui en transformera la consistance, le corps dur et arrondi que produisent les femelles des oiseaux et qui contient le germe de l'embryon et les substances destinées à le nourrir pendant l'incubation.

INCORRECT	CORRECT
Oignons *(Occupe-toi de tes...)*	Prends soin de tes plantes potagères vivaces à bulbe comestible.
Peau des fesses *(Ça coûte la...)*	Ça coûte l'épiderme qui recouvre la partie musculo-adipeuse de la région postérieure du bassin.
Poisson pourri *(Il m'a engueulé comme du...)*	Il m'a invectivé grossièrement tel un agnathe altéré par la décomposition.
Polichinelle *(Elle a un ... dans le tiroir)*	Elle a un personnage bossu de la commedia dell'arte dans le compartiment coulissant de la commode.

Bibliographie

Répertoire opérationnel des Métiers
et des Emplois (R.O.M.E.), ANPE, 1997.

Burnier et Rambaud,
Le Journalisme sans peine,
Plon, 1997.

Alain Schifres,
*Le Nouveau Dictionnaire des idées reçues, des
propos convenus, des tics de langage*,
J.-C. Lattès, 1998.

Sylvie Brunet,
Les Mots de la fin du siècle,
Belin, 1996.

Pierre Tevanian et Sylvie Tissot,
Mots à maux,
Dagorno, 1998.

Isabelle Cuminal, Maryse Souchard, Stéphane
Wahnich, Virginie Wathier,
Le Pen les mots,
La Découverte - Le Monde, 1998.

Composé par **INÉDIT**.
91080 Évry.

Achevé d'imprimer
sur les presses de l'Imprimerie Carlo Descamps
59163 Condé-sur-l'Escaut
N° d'impression : 99124
N° d'éditeur : 001
Dépôt légal : mars 1999

Imprimé en France